春天来了，

各种生物快乐地迎接春天。

派老头和菲菲在园子里播种，

他们种下土豆、胡萝卜、青豆……

还有菲菲突发奇想种下的肉丸子！

没想到先是母鸡们来捣乱，

接着小猪啃掉了肉丸子，

最后牛群也跑进园子来撒欢。

唉，派老头和菲菲播下的种子，

到底还能不能长出来？

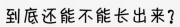

Dear Chinese readers,

I'm really glad that you like Pettson & Findus. The fact that you like them shows that people all over the world, and especially children, have so much in common, which is a good start for understanding and tolerance between people.

I see myself in the first place as an illustrator. After university I started as freelance illustrator in 1970. In 1981 I participated in a picture book competition. I won that competition. In my second book, "The Pancake pie" the old man Pettson and his cat Findus appeared. Since both the readers and I liked these characters, there eventually came to be another seven books about them.

In the first book I thought of Findus mostly as a cat. In later books he has become almost entirely like a child and Pettson is like a father or grandfather. Most of the old mans thoughts and behaviour I have taken from myself, which makes us pretty much alike. And Findus is inspired by my first son when he was about 6 years old.

Practically all my work is for children.

亲爱的中国读者们：

我很高兴你们喜欢"派老头和捣乱猫的开心故事"。这说明世界上所有的人，特别是孩子们，喜欢的东西很多都是相同的，我想这是人与人之间相互理解和宽容的最好的开始。

我想我自己主要是个插画家，大学毕业后我开始了我的自由插画生涯。1981年我参加了一个儿童图画书创作比赛，我的第一本作品赢得了这次比赛。我的第二本作品就是《菲菲的生日蛋糕》，因为读者们和我都这样喜欢这个故事里的人物，所以这个系列后来又发展出了7个故事。

在第一个关于菲菲的故事中，我是按照小猫的形象来设计菲菲的。在后来的故事中，菲菲越来越像一个孩子，派老头越来越像是个父亲或者祖父。派老头的很多想法和行为是根据我自己的生活来设计的，而菲菲的灵感则来自于我6岁的儿子。

实际上，我所有的创作都是为了给孩子们带来快乐。

斯文·诺德奎斯特

津图登字 02-2007-11

KACKEL I GRÖNSAKSLANDET by Sven Nordqvist

Copyright ⓒ by Sven Nordqvist

Published by arrangement with Bokförlaget Opal AB,Sweden

出版发行:新蕾出版社

E-mail:newbuds@public.tpt.tj.cn

http://www.newbuds.cn

地　　址:天津市和平区西康路 35 号（300051）

出 版 人:纪秀荣

策　　划:纪秀荣

　　　　　李华敏

　　　　　张昀韬

责任编辑:张昀韬

整体设计:杨晓君

责任印制:王其勉

电　　话:总编办（022）23332422

　　　　　发行部（022）23332676　23332677

传　　真:（022）23332422

经　　销:全国新华书店

印　　刷:天津市华明印刷厂

开　　本:889mm×1194mm　1/16

印　　张:2

版　　次:2007 年 4 月第 1 版第 1 次印刷

定　　价:15.00 元

派老头和捣乱猫的开心故事

菲菲
要种肉丸子

[瑞典]斯文·诺德奎斯特/图文

凯梅/译

新蕾出版社

春天终于到了!经过了一个冬天的沉睡,大地开始苏醒。小鸟在树丛间唱歌,小虫、草叶、嫩芽、蜜蜂、蝴蝶都忙忙碌碌地工作着。春天的脚步走得那么快,谁都不愿意浪费时间。

派老头站在菜地里,抓起一把泥土,满意地说:

"今天我们该给蔬菜和土豆下种了。"

"什么叫下种啊?"小猫菲菲问。

"下种就是把种子埋到地里。如果我们把胡萝卜的种子埋进地里,种子就会长出新的胡萝卜;把土豆种子埋进地里,每个种子就会长出五六个新的土豆。"

小猫菲菲看了看派老头，撅起嘴说："我才不想要什么新的土豆呢，也不想要新的胡萝卜，我们可以种肉丸子吗？"

"种是可以种，不过不会有新的肉丸子从地里长出来的。"派老头对小猫说。

"你怎么知道？你试过吗？"小猫坚持着。

"那好吧，我们来试试。不过下种之前我们得先来翻地。"

菲菲一转身跑回屋里，把昨天晚饭剩下的肉丸子拿出来。派老头把蔬菜地打理好后，取出蔬菜种子，把胡萝卜、洋葱、青豆、大豆的种子一行行整整齐齐地埋进土里。小猫菲菲学着派老头的样子，把他的肉丸子种进了地里。他不时地跑过去，看看有没有新的肉丸子长出来。

眼看着最后一行种子就要撒进去了，突然，派老头的身后响起"咕咕""咕咕"的鸡叫声。派老头还没来得及抬头，一群大白母鸡就冲进了菜地。"吃虫子了！吃虫子了！"母鸡们叫喊着。

"糟糕！我怎么忘记锁鸡窝门了！不行，不行，母鸡们可不许待在这里，你们把我的菜地都给搞坏了，种子都被你们刨出来了。"派老头焦急地喊着。

可母鸡们才不理会派老头呢，她们只想着找虫子吃，而刚被翻过的土地是最好的找虫子的地方。派老头手脚忙乱地驱赶着母鸡，这边刚赶走一只，那边又冲过来一只，一眨眼，派老头刚刚种下的蔬菜种子被母鸡们刨得乱七八糟。小猫菲菲勇敢地守卫在自己的肉丸子地旁，坚决不让母鸡们伤害他的种子。可是一只母鸡刨出来的土眯了他的眼睛，弄得他连声咳嗽，又一只母鸡对着他的尾巴使劲地啄了一下。菲菲惊得大叫起来，因为已经有一只母鸡蹿到他前面，从地里把肉丸子刨了出来，"啪"的一下把肉丸子夹在了嘴里。

"哎呀，母鸡大小姐们，你们为什么要来我的菜地里捣乱啊！来，来，我给你们瓜子吃。"派老头央求着。

"我们才不吃瓜子呢。我们要吃虫子！"母鸡们回答他。

"好，好，来，我给你们单独刨出一块可以找到虫子的地！"

派老头走进鸡窝，母鸡们在鸡窝外警惕地看着他。派老头用铁锹在鸡窝地上铲了几下，对母鸡们说：

"来，这里全是虫子，你们进里面来吃吧！"

母鸡中的大姐大白兰小姐走上前说：

"别骗我们了，鸡窝地里的虫子早就被我们吃光了！"

"才不是呢，看，到处都是虫子，你们进来就知道了。"

"哼，我们进去了，你就会把我们关进鸡窝，不让我们出来了。"白兰小姐一眼看穿了派老头的诡计。

派老头不吭声了，他真没有想到母鸡这么容易就识破了他的圈套，他有点不好意思地低声说：

"不是这么回事，我是想……"正说着呢，小猫菲菲在身后大喊一声：

"狐狸来了！"

话音没落，母鸡们全都慌忙地钻进鸡窝里，派老头连忙把鸡窝门关起来。

"上当了！上当了！让你们再吃我的肉丸子！"菲菲得意地拍着手。

"好啊，派老头，你骗我们！"

"没办法呀，好母鸡们，过几天我就把你们放出来，我答应把地里的虫子都留给你们。"

派老头回到菜地里，和菲菲一起查看着被母鸡们搞得乱七八糟的菜地。

"气死我了，这些捣乱的母鸡们，我们的活全都白做了！来吧，菲菲，我们得从头再来一次！"派老头不满地嘟囔着。

"我的肉丸子也白种了，母鸡把肉丸子给吃掉了。"

派老头把菜地重新打理好，又拿出新的蔬菜种子种上。小猫菲菲也重新种了一颗肉丸子，为了安全，菲菲在肉丸子地的周边搭起一圈安全防护栏。

接着，他们又开始种土豆。派老头在地里锄坑，菲菲把土豆放进坑里。猫和老头忙乎了大半天，累得大汗淋漓的。不过，所有的土豆都种进地里去了。

"太好了，现在只剩下浇水和等候了！"派老头擦着汗说。

"好呀！你去浇水，我来等候。"菲菲说。

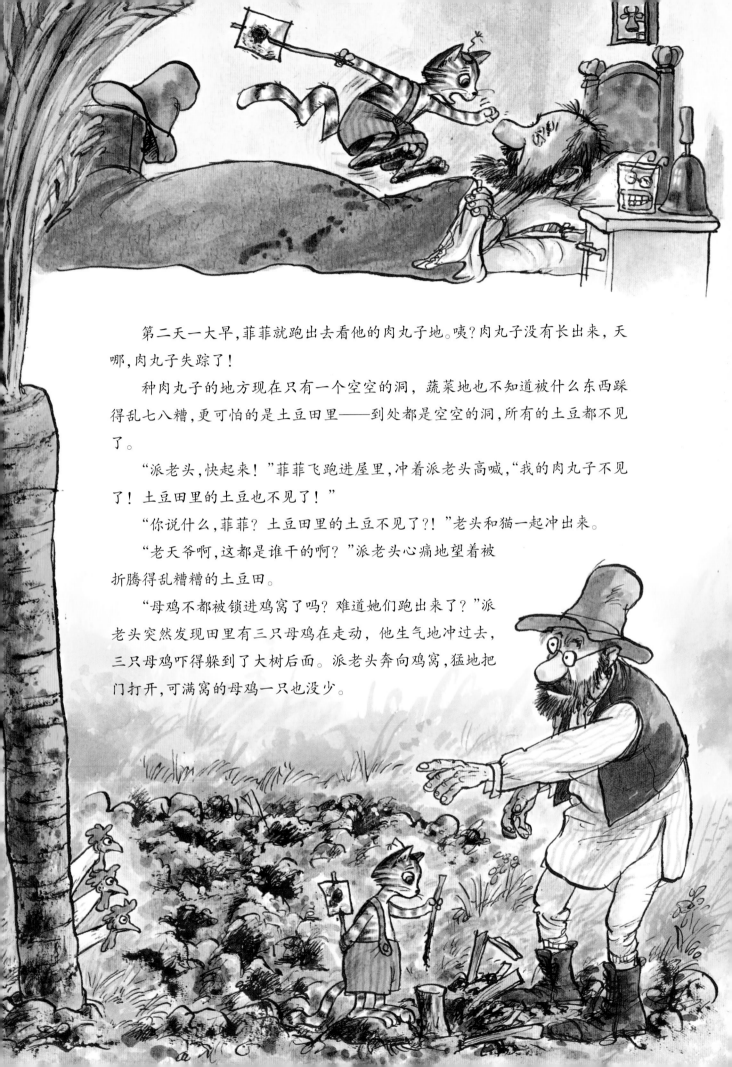

第二天一大早，菲菲就跑出去看他的肉丸子地。咦？肉丸子没有长出来，天哪，肉丸子失踪了！

种肉丸子的地方现在只有一个空空的洞，蔬菜地也不知道被什么东西踩得乱七八糟，更可怕的是土豆田里——到处都是空空的洞，所有的土豆都不见了。

"派老头，快起来！"菲菲飞跑进屋里，冲着派老头高喊，"我的肉丸子不见了！土豆田里的土豆也不见了！"

"你说什么，菲菲？土豆田里的土豆不见了？！"老头和猫一起冲出来。

"老天爷啊，这都是谁干的啊？"派老头心痛地望着被折腾得乱糟糟的土豆田。

"母鸡不都被锁进鸡窝了吗？难道她们跑出来了？"派老头突然发现田里有三只母鸡在走动，他生气地冲过去，三只母鸡吓得躲到了大树后面。派老头奔向鸡窝，猛地把门打开，可满窝的母鸡一只也没少。

"我们可以出去了吗？"一只母鸡问。

"出去？你们不都已经出去过了吗？又是你们在我的土豆田里捣乱吧？我要知道你们是怎样从鸡窝里逃出去的！"派老头生气极了。

"我们可什么都没做！我们一晚上都在睡觉呢！"

"我在睡觉。"

"我在下蛋。"

"我也在下蛋。"

"我们可没捣乱。"母鸡们七嘴八舌地冲着派老头开火。

"好了，好了，不是你们，那是谁呢？难道是邻居古大爷半夜三更跑到我们家的田里把土豆都给偷走了？"派老头问。

"派老头，派老头，看这个！"菲菲拿手里的半个土豆敲着派老头的肩膀说，"不是母鸡干的，看，田里留下了半个土豆。这是一个爱吃土豆的家伙干的，母鸡是不吃土豆的。"

"可不是嘛，我们才不吃土豆呢！"全体母鸡齐声说。

"不吃土豆？我才不信呢！"派老头也糊涂了。

"看，派老头，土豆被咬了这么一大口，这肯定不是母鸡。再说地里还有脚印，那不是母鸡的脚印，是'非母鸡'的脚印。"

"'非母鸡'的脚印？那我得好好看看。"派老头愣住了。

"我们也要看'非母鸡'的脚印。"所有的母鸡齐声叫道。她们迅速地排成一行，朝土豆田跑去。等派老头来到土豆田的时候，小猫菲菲正站在鸡群中，仔细地检查着地上的足迹，还不时地和自己的脚丫子比一比。

"你看，派老头，这样的脚印不是我们母鸡的，这是一只牛的脚印。"白兰小姐说。

"不，是一只山羊的脚印。"另外一只母鸡说。

"是麋鹿的脚印。"

"可能是青蛙的脚印吧！"

"不，是古大爷的脚印。"母鸡们唧唧喳喳地叫着。

"等等，我知道了，这是一个……"派老头的话还没有说完，就听到远处田野里传出一阵声响。

"嗷——嗷！"

原来是古大爷家的猪在叫。没多久，古大爷牵着他家的猪走到了派老头院门口。

"这家伙昨晚一夜都没有回家，今天早上我在安老头家的土豆地里找到了她。咳，猪就爱刨土豆吃，她把安老头家的地搞得一团糟。"古大爷说。

"可不是嘛，她还到我家的土豆田里捣乱来着。"派老头无可奈何地说。

古大爷探头看了看派老头身后被猪刨得乱七八糟的土豆田，感到很惭愧。

"太糟糕了，我得还给你新的土豆种子。"

"算了吧，我还以为是家里的母鸡搞的呢，错怪了她们。咳，反正地都给折腾成这样了，母鸡们，你们去田里捉虫子吧。等晚上你们回窝睡觉了，我再重新种土豆。"派老头一挥手，母鸡们一窝蜂地拥向了土豆田。派老头在她们身后高声警告："听清楚了，全体母鸡们，只许在土豆田里捉虫子，谁都不准进蔬菜田里！听见了吗？"

"遵命！"母鸡们吆喝着，兴奋地在土豆田里找着虫子。

不过为了安全起见,派老头还是在土豆田和蔬菜田之间建起了一道栅栏,谁敢肯定那些没记性的母鸡们说话算数呢?小猫菲菲也在一边帮忙,他要教会母鸡们什么是诺言。菲菲做起警卫来可称职呢!

傍晚时分,大多数母鸡们都已经回窝睡觉了,只剩下几只母鸡不愿离开菜地。

"该回窝睡觉了,地里的虫子都被你们刨光了。等我种上新的土豆,可不准你们再出来捣乱!"派老头冲着母鸡们喊着。

"等你们进到窝里,非把你们关起来不可,三个星期都不许出来!"小猫菲菲在一旁说。

"小声点,菲菲,不要乱讲。"派老头连忙打断菲菲的话。可是已经晚了,满窝的母鸡像炸了营一样冲出了鸡窝。

"听到了吗?派老头要把我们关禁闭,他又骗我们!"

"菲菲,看你惹的麻烦,这下怎么办?"派老头对菲菲说。

菲菲不好意思地低下头,嘴里嘟囔着:"我可什么都没说。"

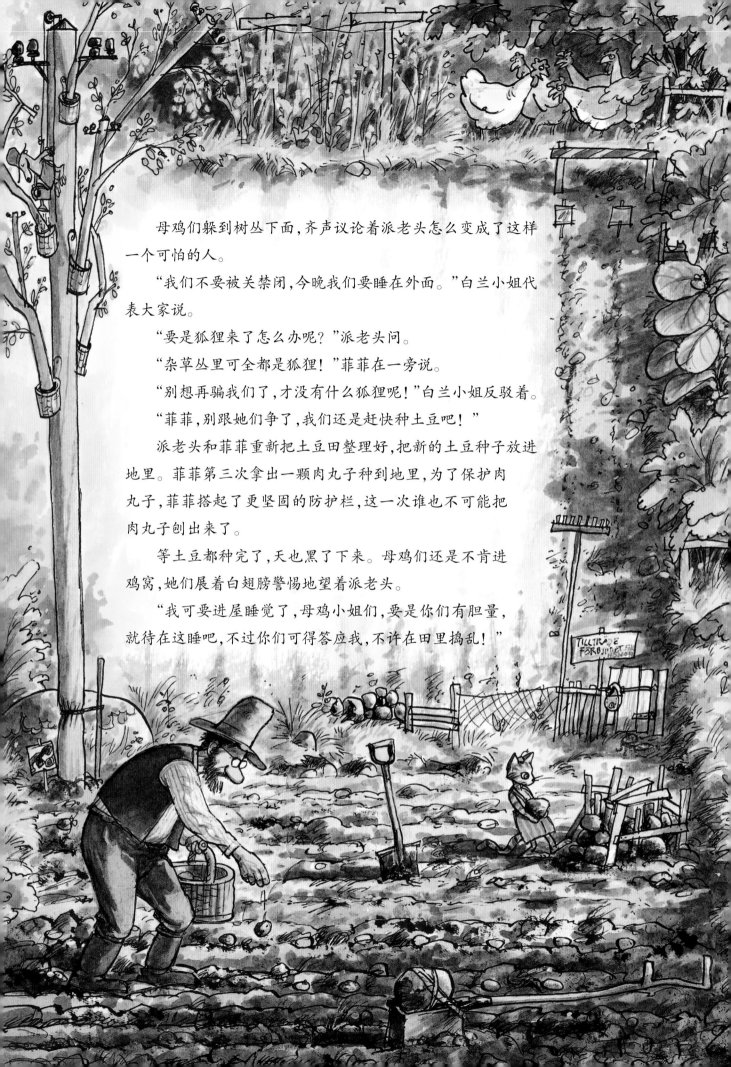

母鸡们躲到树丛下面，齐声议论着派老头怎么变成了这样一个可怕的人。

"我们不要被关禁闭，今晚我们要睡在外面。"白兰小姐代表大家说。

"要是狐狸来了怎么办呢？"派老头问。

"杂草丛里可全都是狐狸！"菲菲在一旁说。

"别想再骗我们了，才没有什么狐狸呢！"白兰小姐反驳着。

"菲菲，别跟她们争了，我们还是赶快种土豆吧！"

派老头和菲菲重新把土豆田整理好，把新的土豆种子放进地里。菲菲第三次拿出一颗肉丸子种到地里，为了保护肉丸子，菲菲搭起了更坚固的防护栏，这一次谁也不可能把肉丸子刨出来了。

等土豆都种完了，天也黑了下来。母鸡们还是不肯进鸡窝，她们展着白翅膀警惕地望着派老头。

"我可要进屋睡觉了，母鸡小姐们，要是你们有胆量，就待在这睡吧，不过你们可得答应我，不许在田里捣乱！"

"也许吧,我们答应的可是'也许'!"白兰小姐回答着。

派老头不放心地往家里走。回到家里,派老头对菲菲说:

"菲菲,我还是不放心母鸡们,万一狐狸真的来了呢?"派老头抓着耳朵想了一会儿,然后说,"我说,菲菲,你不是喜欢冒险吗?你的眼睛在黑夜里能看得那么清楚,今天晚上你来守着母鸡们,怎么样?"

"什么?!我,这样一只小猫,单独守夜,等着狐狸来?!"菲菲瞪大了眼睛。

"不是一般的守夜,你可以坐到树上的窝棚里,拿上空牛奶罐,再拿上手电筒。要是狐狸真的来了,你就点亮手电筒晃他,再敲牛奶罐把我叫醒。你不敢吗,菲菲?"

"谁说我不敢?只要我有手电筒、牛奶罐,还有就是可以待在树上的窝棚里。"

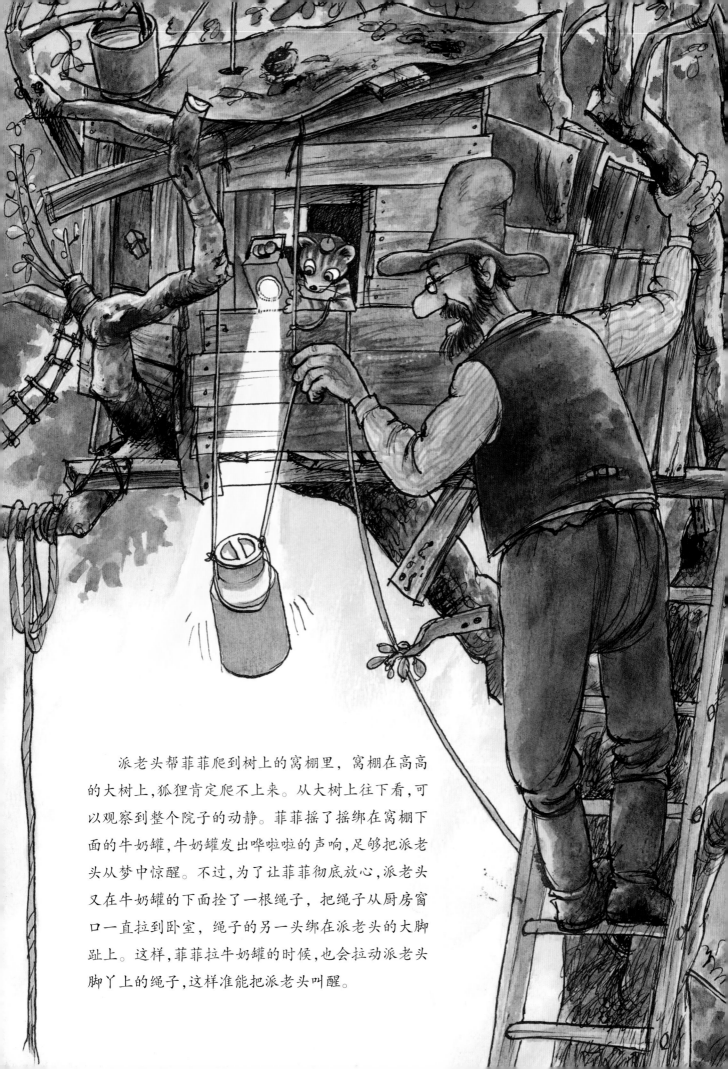

　　派老头帮菲菲爬到树上的窝棚里，窝棚在高高
的大树上,狐狸肯定爬不上来。从大树上往下看,可
以观察到整个院子的动静。菲菲摇了摇绑在窝棚下
面的牛奶罐,牛奶罐发出哗啦啦的声响,足够把派老
头从梦中惊醒。不过,为了让菲菲彻底放心,派老头
又在牛奶罐的下面拴了一根绳子,把绳子从厨房窗
口一直拉到卧室,绳子的另一头绑在派老头的大脚
趾上。这样,菲菲拉牛奶罐的时候,也会拉动派老头
脚丫上的绳子,这样准能把派老头叫醒。

"菲菲,你可真勇敢!"派老头为菲菲打气。

"我当然勇敢了,猫是世界上最勇敢的动物,对不对,派老头?"菲菲得意地说。

"对呀,对呀!天很快就亮了,那时候你就可以来把我叫醒了。晚安,菲菲,好好守着!"

派老头刚走到房子门口,菲菲就叫起来:

"派老头,你肯定狐狸不会爬上树来吗?"

"肯定不会,菲菲,要是你害怕了,还是和我一起回家睡觉吧?"

"我有什么好害怕的,我只是随便问问。你回去睡觉吧,晚安,派老头!"

派老头回到屋里躺下来。他倒是不担心菲菲,他不会有问题,派老头担心的是母鸡们。虽说狐狸有一阵子没来过了,可万一那么不凑巧,今晚就有狐狸来呢?

菲菲独自坐在大树上的窝棚里四下打量着院子，他看到有几只母鸡把身子蜷进了树丛里。菲菲的视力好极了，就是在黑暗中他也可以看得很远。这时候，小猫菲菲的小脑袋瓜里充满了各种想法。狐狸会来吗？哪里有什么狐狸啊！就是真的有狐狸来，我小猫菲菲只要拉绳子，照手电筒不就行了吗？拉绳子，照手电筒，一拉一照，一拉一照……

天啊，怎么这么安静呢？我还是给自己唱支歌壮壮胆吧。

天上星，亮晶晶，
狐狸不敢来偷鸡。
小猫菲菲守鸡窝，
守着几只大母鸡。

菲菲突然被一阵噪音惊醒了。怎么回事?天亮了吗?我在哪里呢?菲菲朝外望去,禁不住大声叫起来:

"救命啊! 救命啊! "

"派老头,快起来!快起来!他们把我的肉丸子踩坏了!"

派老头差不多一下子就从窗口跳出来了:"狐狸来了吗? 这是什么? 不许再折腾我的土豆田了!"

　　派老头手里提着一只扫帚冲进园子里，园子里
到处都是牛，他们冲进土豆田、蔬菜田，连草莓地和
树丛也全被他们给踩坏了。

　　"老天爷，你们在我的园子里做什么？快给我出去，
出去！"派老头气愤地喊叫着。

　　牛群根本不明白站在地里的这个小老头为什么这
么生气，他们只是呆呆地望着他。

　　"这是我的花园，请你们赶快离开这里，不许吃我的
花！"派老头冲着牛群喊叫着，挥着扫帚要把牛群赶出
去，母鸡们和小猫也帮着派老头一起赶着牛群。

可是要想把这么多牛赶出去哪有那么容易。派老头、小猫和母鸡们忙乎了半天，土豆田、蔬菜田全被踩得没有了模样，可还没有一头牛愿意离开派老头的园子。

"这样不行，我们得找人帮忙。这是邻居安老头家的牛，我找他去。"派老头喘着粗气说。

"真是一群笨牛！怎么听不懂猫话呢？还这么好奇，快出去吧！"小猫菲菲冲着牛群喊着。

"又笨又好奇？"听到菲菲的话，派老头突然想出一个好主意。

"菲菲，我们不能跟他们硬碰硬，我们得把他们骗出去。看我的！"

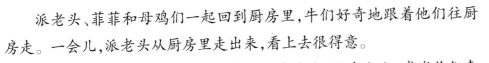

　　派老头、菲菲和母鸡们一起回到厨房里，牛们好奇地跟着他们往厨房走。一会儿，派老头从厨房里走出来，看上去很得意。

　　派老头清了清嗓子，高声说："各位公牛先生、母牛女士，感谢你们表演的疯牛狂舞节目。下面请各位欣赏派老头的全新节目——会跳的口袋！"母鸡们齐声鼓掌，牛们瞪大了眼睛。这时候，只见一只口袋蹦蹦跳跳地从厨房露出头来，口袋从台阶上跳下来，一口气跳到了园子里的土豆田里。咦？这是什么？哪只牛曾经见到过这样神奇的口袋！他们互相打量着，不知该如何是好。

　　母鸡们跟在口袋后面，唧唧喳喳叫个不停。

　　"这是什么？太了不起了！世界上第一个会跳的口袋！"母鸡们一边嚷嚷一边偷偷地朝着牛群看着。

　　牛群被眼前这奇妙的景象刺激得好奇极了，他们一窝蜂地朝着口袋奔去。眼看就要追到口袋了，那只神奇的口袋又蹦蹦跳跳地朝前走了，牛群立刻追过去，可神奇的口袋马上又蹦起来，朝派老头家菜地外面的草场跳去。神奇的口袋一会儿跳一会儿停，牛群就在后面紧跟，一直跟到了他们原来吃草的草场上。派老头得意洋洋地跟在牛群后面。

等到牛群回到了他们的草地上，派老头连忙把草地上栅栏的门闩起来。小猫菲菲大摇大摆地从刚才那个神奇的口袋里跳出来。牛群愣愣地看着小猫，完全搞不懂这到底是怎么一回事。

"现在我可以回家好好睡一觉了。明天一大早我得先去所有的邻居家里，让他们把家里拴猪拴牛的栅栏关好，那样我才能放心地种我的蔬菜土豆。接待了这么多不速之客，菲菲，你说还会有谁再来捣乱吗？"派老头很自得地问小猫。

"我看咱们就只种肉丸子算了。我们可以把肉丸子种在盆里，把盆放到家里，那就再不会发生任何事故了。再说了，派老头，我们要那么多蔬菜土豆做什么呀？"小猫菲菲认真地说。

瑞典的大明星——派老头和小猫菲菲

瑞典是个童话王国,而我和派老头及小猫菲菲的相遇也很有童话的味道。

那是十几年前,我刚来到瑞典的时候正逢圣诞节,我被邀请到朋友的姐姐家里过圣诞。晚餐中,突然来访的"圣诞老人"居然叫出我的名字,他从背在身后的落满了一层厚厚雪花的大口袋里掏出一个花花绿绿的包裹,说是圣诞老人特意给我的礼物。在四座亲朋热情的注视下,在朋友姐姐家两个小孩子的急切帮助下,我将礼物轻轻打开,是一本儿童图画书。那时我的瑞典语还不灵光,当我费劲地念出书封面上的书名时,朋友姐姐家 4 岁的小女孩就迫不及待地欢呼起来,用瑞典语高声叫着"Pettson!Findus!"一边的小弟弟也立刻附和着姐姐叫了起来。

Pettson 和 Findus——派老头和小猫菲菲,这两个瑞典小朋友乃至世界上许多国家的小朋友耳熟能详的人物,就是今天呈现在中国读者面前的这套著名瑞典图画书中的两位主人公。这两位主人公真是妙不可言,他俩的相遇也许是上天安排的吧?派老头的性格有点古怪,而他的慈祥和真诚却是每个小朋友都喜爱的。他的木匠房凌乱而神奇,他那杂草丛生的小院儿简直就是小动物和淘气孩子的乐园。菲菲是一只顽皮的小猫,绿条纹的裤子晃晃荡荡地穿在身上,却露出一本正经的表情,让你觉得他什么都能搞定。

《菲菲的生日蛋糕》是"派老头和捣乱猫的开心故事"系列图画书中的第一本,书的作者和插画家叫斯文·诺德奎斯特(Sven Nordqvist)。这位享誉欧洲的艺术家其实并不是画家出身。他在大学里读的是建筑专业,毕业后还在建筑学院做过讲师,在广告公司做过平面设计。不过对儿童文学的喜爱越来越多地占据了他的心灵。